HIRO MASHIMA

SOMMAIRE

CHAPITRE 31 : LA REDOUTABLE GELÉE EMPOISONNÉE

BLA BLA
BLA BLA
TAP TAP TAP TAP
CHEF !
CHEF !
QUE SIGNIFIE CETTE AGITATION ?
KOF !
!

JE PRÉVIENS TOUT LE MONDE QUE VOS ENNEMIS VONT BIENTÔT ATTAQUER LE VILLAGE !
NOS ENNEMIS ?!

ILS VIVENT DANS LES RUINES DE LA FORÊT.
CE SONT EUX LA CAUSE DE VOTRE MALÉDICTION.

CE N'EST PAS MON PROBLÈME !
VOUS N'AVEZ TOUJOURS PAS DÉTRUIT LA LUNE !
CE N'EST PLUS NÉCESSAIRE.
SI ON ARRÊTE LES COUPABLES...
IL FAUT...
QUE VOUS DÉTRUISIEZ LA LUNE !
CHEF !
...
CHEF, CALMEZ-VOUS.
KOF !
VENEZ PAR ICI.
NE FAITES PAS ATTENTION.
C'EST À CAUSE DE SON FILS...
HUM...
SANS LA LUNE, IL SERAIT...
FAITES-MOI CONFIANCE, ON VA S'EN OCCUPER.

PRINCESSE.
TOUT EST PRÊT.

MERCI, VIRGO.
TU CREUSES VRAIMENT VITE.
C'EST CE QUE VOUS M'AVEZ DEMANDÉ.
Y A RIEN D'ADMI-RABLE !
DITES...
QUOI ?

LUCY, JE ME DEMANDE SI T'ES VRAIMENT STUPIDE OU SI TU LE FAIS EXPRÈS.
HAPPY, NE ME PARLE PAS SUR CE TON...

JE NE PENSE PAS QU'UN PIÈGE AUSSI ENFANTIN PUISSE FONCTIONNER.
QU'EST-CE QUE TU RACONTES ?

MON PLAN EST TOUT SIMPLEMENT PARFAIT !
TADA———M
C'EST CETTE TROP GRANDE CONFIANCE EN TOI QUI T'AVEUGLE.

LE VILLAGE N'A QU'UNE SEULE ENTRÉE. LES ENNEMIS DEVRONT FORCÉMENT PASSER PAR LÀ.

PERSONNE NE SE LAISSERA PRENDRE DANS UN PIÈGE AUSSI GROSSIER !
JE SUIS D'AC-CORD.
MALHEU-REUSEMENT, MOI AUSSI.
MOI AUSSI, PRINCESSE.
TOI AUSSI, VIRGO ?!

VOUS VERREZ BIEN !

MLLE LUCY ! DES HOMMES APPROCHENT !
CE SONT EUX !

FERMEZ LES PORTES !
COM-PRIS !

ON LES ATTEND !
TAPATAPATAPATAPATAP

TAPATAPATAPATAP
ÇA VA...
LA COMPAGNIE ?!

HEIN ?
N'APPROCHE PAS !
NON !
NATSU ?!
HEIIIIIIIN ?!

C'EST QUOI, CE TRUC ?
POUF
AAAH !
GNIIII
?
PFOU
AR-RÊTE-TOI !
STOP !

OUAH !
PLAM
...

J'AURAIS JAMAIS CRU QUE ÇA POUVAIT MARCHER.
IL EST TOMBÉ DANS LE PIÈGE ?!
C'EST RATÉ.
HEY ! C'EST QUI LE PETIT RIGOLO QUI A FAIT ÇA ?
C'EST LUCY, ÉVIDEMMENT !
MAIS NON !
JE M'EN DOUTAIS...

VOUS AVEZ RIEN GREY ET TOI, C'EST CHOUETTE !
NON. GREY EST H.S.
IL S'EST FAIT AVOIR PAR LE TYPE AVEC SON MASQUE.
!

LA GLACE A DISPARU !
J'AVAIS PAS RÉUSSI MÊME AVEC MES FLAMMES !

C'EST CE QUE J'AVAIS PRÉVU.
LE SORT A SÛREMENT PERDU DE SA PUISSANCE EN S'ÉLOIGNANT DE CELUI QUI L'A JETÉ.
GÉNIAL !

GREY...

AU FAIT, LES GROS MÉCHANTS SONT TOUJOURS PAS LÀ ?
C'EST VRAI QUE ÇA COMMENCE À ÊTRE LONG.

ILS SONT PARTIS BIEN AVANT TOI ET TU ES ARRIVÉ LE PREMIER.
POURTANT, ÇA M'A PRIS DU TEMPS D'ESCALADER LA COLLINE ET DE REDESCENDRE.

TANT MIEUX ! ON VA POUVOIR REFAIRE LE PIÈGE !
AR-RÊTE AVEC ÇA !

C'EST VRAI QUE C'EST BIZARRE.
ILS DEVRAIENT DÉJÀ ÊTRE ICI.

ILS SE SONT PEUT-ÊTRE PERDUS, CES NULS !
MAIS NON, ILS SAVENT OÙ EST LE VILLAGE !

?!

REGARDEZ, LÀ-HAUT !
!

FLOUP
FLOUP
FLOUP
FLOUP
FLOUP

ぶぶ
FLOUP
FLOUP
ぶぶぶ
FLOUP
FLOUP
LA SOURIS VOLE !
C'EST QUOI, CE SEAU.

ELLE VOLE ?! MON PIÈGE NE SERT PLUS À RIEN !
RAAAH !
CELA NOUS A PRIS DU TEMPS POUR PRÉPARER LA GELÉE EMPOISONNÉE.
MAIS FINALEMENT, C'EST AUSSI BIEN COMME ÇA, LES MAGICIENS SONT TOUS AU VILLAGE.
OUAIS !
WOOOOOOM

SI DELIORA EST DÉTRUIT, NOS SOUHAITS NE SERONT PAS EXAUCÉS.
LES GÊNEURS DOIVENT DONC MOURIR !

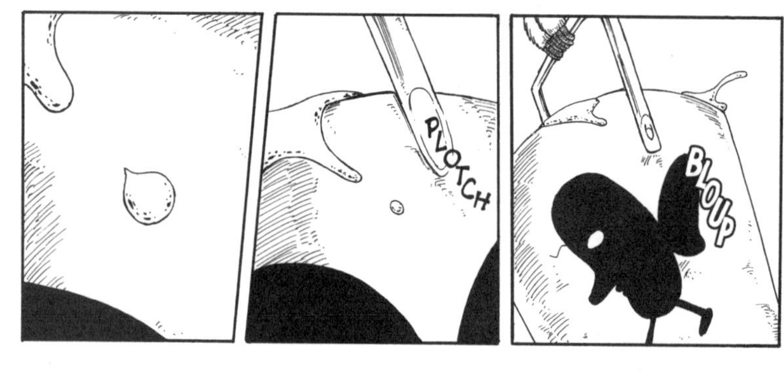
PLOTCH
BLOUP

!
DE LA GELÉE ?

LUCY !
FSAAAP
AA AAH !
PLOTCH
PSH
FSHOU
FSHOUUUUU
FSHOUUUUUU

Hiiii !
C'EST QUOI, CETTE SALE ODEUR ?!
LE SEAU EST PLEIN DE CE TRUC !
ILS VEULENT NOUS TUER !
ILS SONT LAIDS.
TSIC
LES GOUTTES DE LUNE RENDENT LES HUMAINS SI LAIDS.
CE SONT DES DÉMONS.
ILS SONT AUSSI RÉPUGNANTS QUE DES REJETONS DE DELIORA.
À TOI DE JOUER, ANGELICA.
COUIC !
FLOUTCH

AAAAAAAAAAAAAAAH !
NOOON !
AAH !
AAAH !
AAAH !
AAAH !
COMMENT ON PEUT SE PROTÉGER DE ÇA ?
LUCY, RASSEMBLE TOUT LE MONDE AU CENTRE DU VILLAGE.
NATSU ?
TAP
HAPPY ! ON DÉCOLLE !
OUAIP !
AAAAAAA
MOI...
JE RESTE PRÈS DE LA TOMBE DE MON FILS !
CHEF !
ON VOUS COMPREND, MAIS...

EN ASSO-CIANT...
FROUSH
LES FLAMMES DE MES DEUX MAINS...
GÉ-HENNE...
WOOOOOO
PLAF

DU DRA-GON !

UNE EXPLOSION ?
C'EST UN MAGICIEN DU FEU ?
BAOOOOM
PLOUUUTCH
PLOTCH
PLOTCH
Hiiii !
AAAH !
AAAH !
PLOTCH
CHEF !

PSHOUUUU
OOOOH !!
VOUS NE VOULIEZ PAS QU'IL MEURE, N'EST-CE PAS ?
...
VIRGO !
BROOOOM
!!

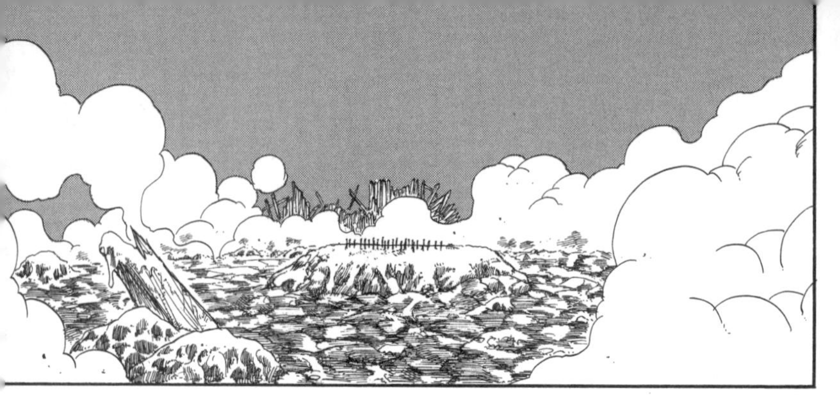

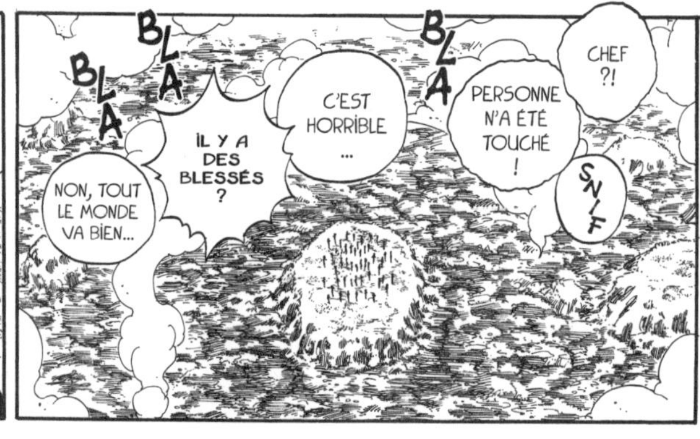
CHEF ?!
PERSONNE N'A ÉTÉ TOUCHÉ !
SNIF
BLA
C'EST HORRIBLE ...
IL Y A DES BLESSÉS ?
NON, TOUT LE MONDE VA BIEN...
BLA
BLA

PAR CONTRE LE VILLAGE EST DANS UN SALE ÉTAT.
OUI !

LA TOMBE DE MON FILS...

TAP

NOUS DEVONS BANNIR TOUS LES ENNEMIS DE L'EMPEREUR ZERO.
NOUS VOULIONS TOUS VOUS TUER D'UN SEUL COUP...
MAIS JE CROIS QU'ON VA DEVOIR CHANGER NOTRE PLAN, PLACE AU BAIN DE SANG.
HEIN ?

CHAPITRE 32 : NATSU VS YÛKA DU HADÔ

ENVIRON 50 VILLAGEOIS...
ET DEUX MAGICIENS.
UN QUART D'HEURE DEVRAIT SUFFIRE.
OUAIS !
TADAM
JE SUIS LÀ, MOI ! ÇA FAIT TROIS MAGICIENS !
GNNN
T/C
TADAM

ILS ONT PROFANÉ...
LA TOMBE DE MON FILS !

ILS VONT LE PAYER !
CHEF !

ON NE RESTE PAS LÀ !
ON VA ÊTRE PRIS DANS UN COMBAT DE MAGICIENS !
NOON ! KOF !
FAITES TAIRE LE CHEF !
ON S'OCCUPE DE GREY !
ON SE TIRE !
TA PA TA PA TA PA TA PA TA PATAP

VOUS NE NOUS ÉCHAPPEREZ PAS.
NOUS AVONS ORDRE DE TOUS VOUS TUER.
AAAAH !
AAAAH !
AAAAH !

ANGE-LICA !
COUIC !

ON Y VA !
TSAP
FSHOUUUUU
OUAH !
!
MOOW
FLOUP FLOUP FLOUP
FLOUP FLOUP FLOUP
HEIN ?!
JE ME SUIS ACCROCHÉE, C'EST PEUT-ÊTRE PAS UNE SUPER IDÉE !

ELLE EST DINGUE !
NON, ELLE EST CLAIREMENT BÊTE.
TU VAS T'ARRÊTER, OUI ?!
PAF PAF PAF
LAISSE LES VILLAGEOIS TRANQUILLES !
QUI EST LÀ ?
ARRÊTE !
IMBÉCILE !
CRATCH CRATCH
QU'EST-CE QUE TU DIS DE ÇA ?
GUILI GUILI GUILI
BWAHAHAHAHA !
ANGELICA !
GUILI GUILI GUILI GUILI
FLOUP FLOUP
TSIC
HAHA ! HAHA ! HAHA ! HAHA !
QU'EST-CE QUI TE PREND ? SI TA QUEUE NE TOURNE PLUS...

FSHOUUUUU
ÇA MARCHE !
AAAAAH ?!
AAAAH !
COUIIIIIIC !

BAOOOOOM

AAAAAAAH

VOILÀ, C'EST FOUTU.
RAAAH
QU'EST-CE QUE TU DIS ?
JE NE PARLAIS PAS DE TOI.

TU CROIS QUE ÇA VA ? J'AURAIS DÛ L'EXPLOSER.
LUCY SERAIT MORTE !

JE VAIS ALLER VOIR.
OK ! MERCI DE T'EN OCCUPER !
FLAP
MOI, JE VAIS...
NET-TOYER CE COIN !
TSAAAP

PAAAAM
OUTCH !
FSAP
PFOUUU

BAOOOOM
FSHOUUU
TAP

TES FLAMMES SONT TRÈS PUISSANTES...
SERAIS-TU LA FAMEUSE SALAMANDRE DE FAIRY TAIL ?
WOOOOOOM
TS AP
OH !

TU SAIS... NOUS APPARTENIONS AUSSI À UNE GUILDE RÉPUTÉE.
TSAP
CRACH CRACH
NE CROIS PAS QUE TU NOUS AURAS FACILEMENT !

TU CONNAIS LA GUILDE DE LAMIA SCALE ?
YÛKA SUZUKI, EX-MEMBRE DE LA GUILDE DE LAMIA SCALE.
ET OUI, LA GUILDE À LAQUELLE APPARTENAIT JURA D'ACIER...
OUAIP !
TOBY, EX-MEMBRE DE LA GUILDE DE LAMIA SCALE.
WOUAH !
HEIN ?!
WOUUUUSH
INSOLENT ! TU POURRAIS M'ÉCOUTER UN PEU !
JE M'EN TAPE.

J'EN AI RIEN À BATTRE DE SAVOIR DE QUELLE GUILDE VOUS VENEZ ET QUI EST VOTRE POTE.
VOUS EN AVEZ APRÈS MES CLIENTS.
ET VOUS M'EMPÊCHEZ DE MENER À BIEN MA MISSION.

EN CLAIR, VOUS VOUS OPPOSEZ À FAIRY TAIL !
C'EST UNE RAISON SUFFISANTE POUR VOUS METTRE UNE RACLÉE !

NE T'EN MÊLE PAS, TOBY.
JE VAIS M'EN DÉBARRASSER.
OUAIP !
SASHIMI

TSA
P
HADÔ !
BWOOOM
HUM...
JE VAIS EXPLOSER TON...
RAAAAAAH
!!
ARGH !
FSHOU

BAOOOOOM
BROM
OH !
TU AS PRIS CONSCIENCE DE SA NATURE ?
FSHAAAAA
HADÔ !
BWOOM

LES ONDES QUE JE PRODUIS ABSORBENT TOUS LES TYPES DE MAGIE.
EN CLAIR, C'EST UN POUVOIR QUI ANNIHILE LES SORTS.
C'EST POUR ÇA QUE J'AI EU L'IMPRESSION QUE TU N'ÉVITAIS PAS MES FLAMMES.
QUAND J'ÉTAIS À LAMIA SCALE, JE ME SUIS SPÉCIALISÉ DANS LES COMBATS CONTRE LES MAGICIENS.
BWOOOOM
J'AI DÉVELOPPÉ MA TECHNIQUE...
POUR QU'ILS SOIENT TOUS IMPUISSANTS FACE À MOI !
FSHOUUU
!!
FSHOUUU

BAOOOOO
ON VA BIEN VOIR ?!
FSHAAAA
BWOOOM
HADÔ !

POUF
JE CROIS T'AVOIR DIT QUE MES ONDES ABSORBAIENT LES SORTS.
SI C'EST PAS DE LA MAGIE, ÇA LE FAIT, ALORS ?
C'EST FACILE !
TIENS !
JE SUIS PASSÉ À TRAVERS !
SCHRIII
!
SCHRIII
SCHRIII
SCHRIII
QUELLE IMPRUDENCE DE PLONGER LA MAIN DANS UNE SPIRALE MAGIQUE.
TU VAS DISPARAÎTRE.
AAAAAAAAAAAAH !

SCHRIII
SCHRIII
SCHRIII
RAAAAAAH !
HEIN ?
IL VEUT Y ALLER TOUT ENTIER ?!
SCHRIII
SCHRIII
QUAND LA MAGIE EST BLOQUÉE PAR UN MUR...
...
CE QUI N'EST PAS MAGIQUE PEUT LE TRAVERSER !
HA HA !
QU'EST-CE QU'IL PRÉPARE ?!
QU'EST-CE QUE TU VAS FAIRE, SALAMANDRE ?
TU NE PEUX PAS LANCER DE SORT À L'INTÉRIEUR DE MES ONDES.
MAIS DEHORS, JE LE PEUX.
MERCI DU CONSEIL !

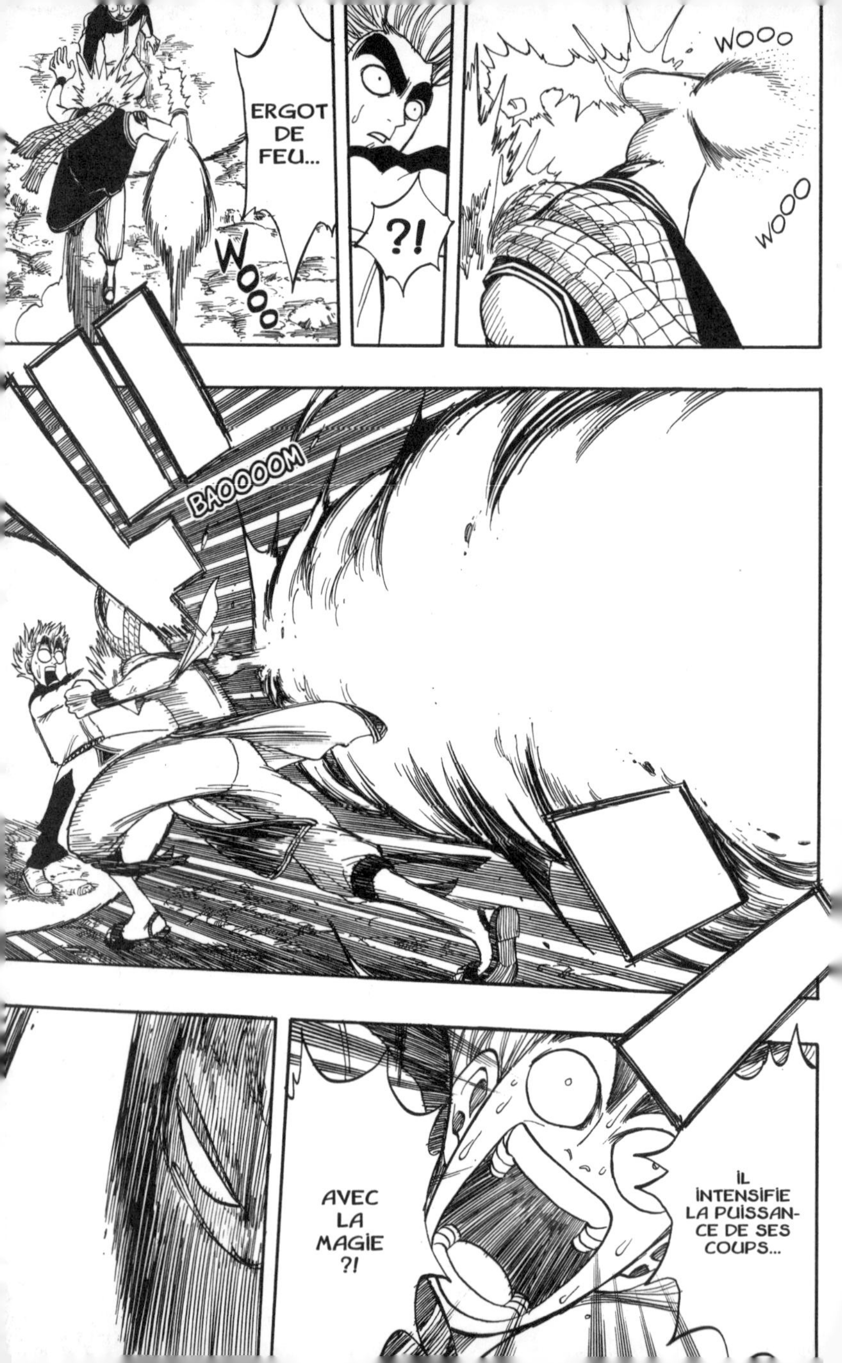
WOOO
WOOO
?!
ERGOT DE FEU...
WOOO
BAOOOOM
IL INTENSIFIE LA PUISSANCE DE SES COUPS...
AVEC LA MAGIE ?!

DU DRA-GON !
PLAM
ARGH !

CHAPITRE 33 : PEUT-ON FERMER LA PORTE DU TAUREAU ?

PAAAAAM
POM

BAAAAAM

BEUH...
BEUH...

UN DE MOINS.

OUAIP !
T'ES IMPRESSIONNANT.
MAINTENANT, C'EST TA FACE QUE JE VAIS IMPRESSIONNER.

RÊVE ! JE SUIS PLUS COSTAUD QUE YÛKA !
TSSS

GROSSES GRIFFES PARALY-SANTES !
TCHAC
SASHIMI
MES GRIFFES ONT UN SECRET...
!!!
ELLES PARALYSENT L'ADVERSAIRE ?
COM-MENT T'AS DEVINÉ ?
BEUH !
T'ES PAS MAGICIEN, MAIS DEVIN !
WOUAH... TU M'AS L'AIR DÊTRE UN SACRÉ ABRUTI, TOI !

NE ME TRAITE PAS D'ABRUTI !
FSHAAAAAA
OULÀ !

SI MES GRIFFES TE TOUCHENT...
FSHAAAA
TU T'ENGOURDIRAS JUSQU'À LA MORT !
FSHOUUU
ATTENDS UN PEU.

T'AS UN BOUTON SUR LE FRONT.
FSHAOUUU

AH OUAIS ?
TCHIC

AAAAAAAAH !
BRRRRRRRR

PLAM
C'EST VRAIMENT UN ABRUTI.

POC

ILS N'HÉSITENT DEVANT RIEN...

MAIS LES VILLAGEOIS REDEVIENDRONT COMME AVANT.
JE TE LE PROMETS.

JE VAIS TE VENGER !

AÏE...

HEIN ?
OÙ EST LA FILLE ?

C'EST HORRIBLE, CE QUE VOUS AVEZ FAIT...
MADE-MOISELLE...

À CAUSE DE VOUS, L'EMPEREUR ZERO N'AURA PLUS CONFIANCE EN MOI.
IL NE M'AIMERA PLUS !
ELLE L'AIME ?
ET EN PLUS, ANGELICA...
sniff

VOUS ALLEZ ME LE PAYER !
ÇA MARCHE ! VIENS TE BATTRE !

FSHA
AA
!!
CRI
CRI
CRI
CRI
CRI
BROOOM
ARBRE MARION-NETTE !
BROOOM
HEIN ?
L'ARBRE...
IL BOUGE !
VA AAA AAA !

AAAH
!
BAOOOOM
OUVRE-TOI !
PORTE DU
TAUREAU
!
TAURUS
!

MEU-UUU-UUH !
TCHAC
どすっ
PLAM
UNE CONSTELLA-TIONNISTE ?!
AVEC LES CLÉS DES 12 VOIES D'OR ?!

BIEN JOUÉ, TAURUS !
MEUUUUH !
T'AS DE JOLIS SEINS, LUCY !
FAIRE DIRE DES CHOSES PAREILLES À SES ESPRITS POUR SE LA PÉTER, C'EST MINABLE !
TU CROIS PEUT-ÊTRE QUE C'EST MOI QUI LUI AI DEMANDÉ DE DIRE ÇA !
MEU-UUUH !
EN FAIT, C'EST TRÈS MAUVAIS POUR UN CONSTELLATIONNISTE DE M'AFFRONTER.
TAURUS, OCCUPE-TOI D'ELLE !
MEU-UUUH !
BROOOOO

F S A P
!!
HÉ HÉ...
HEIN ?
MEU-UUUU-UH !
BROOOM
TAURUS, ARRÊTE !
QU'EST-CE QUE TU FAIS ?!
AAAAAAAAH !
MEU-UUU-UUH !

LUCY... MON CORPS NE M'OBÉIT PLUS !
TSAAAC
AAAH !
AH !
OUTCH...
J'UTILISE UN SORT DE MARIONNETTISTE. IL CONTRÔLE TOUT CE QUI N'EST PAS HUMAIN.
ET LES ESPRITS NE SONT PAS DES HUMAINS.
CHERRY, EX-MEMBRE DE LA GUILDE DE LAMIA SCALE.

C'EST PAS VRAI...
TAURUS ! ARRACHE-LUI SES VÊTEMENTS !
AVEC PLAISIR !
T'ES SÛRE QU'ELLE TE MANIPULE ?!
CRITCH
CRATCH
CRITCH
JE SUIS DÉSOLÉ !
JE NE ME CONTRÔLE PLUS !
SCRATCH
CRATCH
FERME-TOI !
PORTE DU TAUREAU !
GN
AAAH !
AAAH !
IL FAUT QUE L'ESPRIT SOIT D'ACCORD POUR REFERMER SA PORTE.
FERME-TOI !
TAURUS !
UN MAGICIEN NE PEUT PAS LA FERMER SEUL.

TAURUS !
MEUUUUH !
GNI...
AAAAH !
S'IL TE PLAÎT !
FERME-TOI !
LES MAGICIENS DE FAIRY TAIL NE SONT PAS SI PUISSANTS QUE ÇA.
FERME-TOI !
PORTE DU TAUREAU !
WOOOOOO

WOOOO
WOUSH
QUOI ?!
J'AI... J'AI RÉUSSI !
À FORCER LA PORTE !

JE NE PENSAIS PAS QU'ELLE EN ÉTAIT CAPABLE ?!
J'AI FAIT UNE ERREUR D'APPRÉCIATION !
JE PROGRESSE...
C'EST NORMAL !
JE SUIS UN MEMBRE DE FAIRY TAIL !

VOTRE MAJESTÉ !
ヒョオオオオ
WOOOOOOOO

POURQUOI N'AVEZ-VOUS PAS TUÉ CE GREY ?

ÇA N'AURAIT SERVI À RIEN.
TU SAIS BIEN QUE JE N'AIME PAS VERSER LE SANG SANS RAISON.

VOUS DITES ÇA, MAIS...
VOUS VOULEZ TUER TOUS LES VILLAGEOIS.
TSAP
TSAP
TSAP
EN FAIT, VOUS RESSENTEZ QUELQUE CHOSE POUR VOTRE FRÈRE D'APPREN-TISSAGE.

C'EST UN IDIOT !
JE L'AI VAINCU FACILEMENT, IL NE REVIENDRA PAS.
ET S'IL TENTE DE ME GÊNER...
C'EST UN HOMME MORT...

VRAIMENT ?

TU SEMBLES VRAIMENT DIGNE DE FAIRY TAIL, FINALEMENT.
TAP
TAP
TCHAP
LE COMBAT NE FAIT QUE COMMENCER !
SURTOUT N'OUBLIE PAS...
QUE TES ESPRITS NE PEUVENT RIEN CONTRE MOI.

CHAPITRE 34 :
L'ÉPÉE DU JUGEMENT

FAIRY TAIL

C'EST TOI QUI LE DIS !
FSHOU
J'AI ENCORE PLEIN D'ESPRITS SUPER PUISSANTS !

OUVRE-TOI ! PORTE DU CHIOT !
PLUE !
POU !
JE FAIS DE TOI MA MARION-NETTE !
BLING
POU ! POU !
POUUU !

POU !
POU !
TIC TIC
POU !
TIC TIC
!!

JE T'AI EUE !
CLAAAC
AH !
UN ESPRIT MINEUR ! J'ANNULE LE SORT !
BIP
PIERRE ! DEVIENS MA MARION-NETTE !
BROO
TU CROIS VRAIMENT QUE TU VAS RÉUSSIR À LA DÉTRUIRE ?
ÇA NE TE SERVIRA PAS À GRAND-CHOSE !
MES ESPRITS VONT LE DÉTRUIRE...
ET SI TU LES MANIPULES, JE REFERMERAI LEUR PORTE !
WOUAH...
BROOM

BROOOOOM
TA PATA PATAP
C'EST DE LA PIERRE !
JE CROIS PAS QUE J'AI UN ESPRIT QUI PEUT DÉTRUIRE UN MONSTRE PAREIL ?
BROOM
BROOM
BROO
BROOM
TAPATAPATAP
AAAA AAAH !

AH !
PLA—F
!

LA MER...
FSHOUUU

TU NE PEUX PLUS M'ÉCHAPPER !
BROOOM
BROOOOM

JE VAIS POUVOIR APPELER AQUARIUS.
BROOM
BROOM
MAIS...

L'EAU NE PEUT RIEN CONTRE LA PIERRE.
ET PUIS, AQUARIUS RISQUE DE SE RETOURNER CONTRE MOI !

AQUARIUS VA M'EN-TRAÎNER... ?!
PLOUF PLOUF
MAIS OUI !
BAOOOOM

TSAP

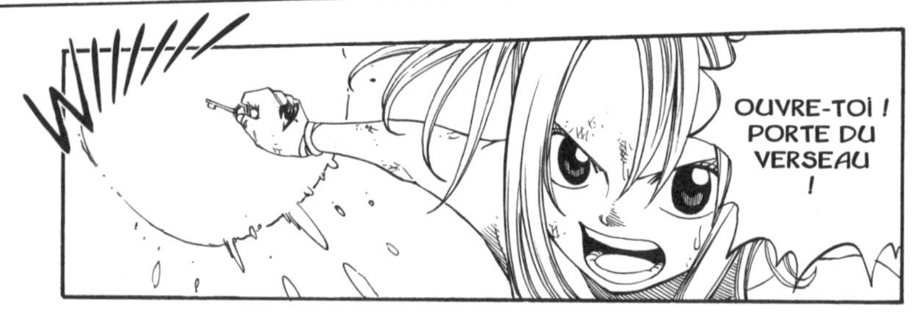
OUVRE-TOI ! PORTE DU VERSEAU !

AQUARIUS !
FLOUTCH
AQUARIUS ? TU AS UN ESPRIT AUSSI PUISSANT ?!
C'EST ELLE, NOTRE ENNEMI ! TU LA DÉTESTES, PAS VRAI ? DÉTRUIS-LA !
PFOU...
T'ES DE MAUVAIS POIL, COMME TOUJOURS !
GROUILLE-TOI DE NOUS EN DÉBARRASSER !
ET TOI, T'ES SOÛLANTE, COMME D'HABITUDE !
C'EST POUR ÇA QUE T'AS PAS DE PETIT COPAIN...
ÇA SUFFIT !

JE FAIS DE TOI MA MARIONNETTE !
TSHRIII
TSHRIII
!!
HÉ HÉ ! TU NE PEUX PLUS L'UTILISER NI LA RENVOYER !
TU TE TROMPES !
C'EST MON ATOUT !
HEIN ?
DANS CE CAS, L'OCÉAN VA TE METTRE EN PIÈCES !
AQUARIUS ! FAIS-LA DISPA-RAÎTRE !
OK !

C'EST MÊME PAS LA PEINE DE ME LE DEMANDER !
FLOUUUUUUUSH

AAAAAAH !
FSHOUU
FSHOUU
QUELLE IMBÉCILE !
HI HI !
!!
FLOUTCH
HEIN ?
FSHOUU
HÉ !

AAAAAAH!
AAAAAAAH!
FROUUUUUUSH

FLOUUUUSH
PFOU... ET ÇA SE PREND POUR UNE VRAIE CONSTELLA-TIONNISTE ?
JE M'EN VAIS TOUTE SEULE, NA !
IDIOTE !
HÉ HÉ...

FSHOUUU

BEUH

BEUH
GNiiii !
JE ME SUIS FAIT AVOIR !
BEUH

BEUH
AQUARiUS EST CAPABLE DE LANCER UN RAZ-DE-MARÉE SANS SE SOUCiER DE SON ALLiÉ.
BEUH

MAiS MA MARiONNETTE DE PiERRE EST TOUJOURS LÀ !
ET ALORS ? iL FAUT UN MARiONNETTiSTE POUR FAiRE BOUGER LES MARiONNETTES.
BEUH
BEUH
BEUH
BEUH

JE N'Ai DONC PAS BESOiN DE LA DÉTRUiRE...
PUiSQUE T'ES PAS EN ÉTAT DE LA MANiPULER.
BEUH
BEUH

BEUH
...
BEUH

C'EST ÇA, UN MAGICIEN DE FAIRY TAIL !
ON EST À ÉGALITÉ !
À ÉGALITÉ ? J'AI GAGNÉ, OUI !
TU RÊVES, T'ES SUR LE POINT DE CRAQUER !
PAF
PAF
PAF
PAF
BEUH
BEUH
BEUH
BEUH
ET SI JE TE FRAPPE COMME ÇA...
ÇA FAIT QUOI ?!
PLAAAAF
ARGH !
COMME ÇA... J'AI...
PERDU ...
URRRRR

MÊME SI MA VIE S'ÉTEINT...
BROM
BROM
BRRRRR
BLOM
MON AMOUR POUR L'EMPEREUR ZERO DEMEURE !
TU NE VAS PAS MOURIR. FAUT PAS EXAGÉRER, NON PLUS.
ANGELICA, VENGE-MOI !
COUIIIIIIC !
FSHAAAA
HEIN ?
C'EST PAS UNE MARIONNETTE !
TS
AP
NO... NON...
J'AI PLUS DE FORCES DANS LES JAMBES !

AAAAAAH!
AAAAAH

TCHAC

HEARTKREUZ♥
!!
COUI
IIIII
IIIC
!

ERZA !

BLAAM

C'EST VOUS ?
CE REGARD NOIR ! ON A ENFREINT LES RÈGLES DE LA GUILDE POUR SE LANCER DANS UNE S-QUEST !
GLOUPS

TU SAIS POURQUOI JE SUIS ICI ?
EUH... NON... ENFIN...

VOUS ÊTES VENUE NOUS FAIRE UN PETIT COUCOU ?

FLAP FLAP
SUPER ! LUCY N'A RIEN !

FSHOUUUUUU

OÙ EST NATSU ?
...
ÉCOUTEZ-MOI !

JE SAIS QU'ON N'AURAIT PAS DÛ SE LANCER DANS CETTE S-QUEST !
MAIS IL SE PASSE DES CHOSES GRAVES, ICI !

IL Y A DES TYPES QUI VEULENT RÉVEILLER UN DÉMON PRIS DANS LA GLACE...

ET LEUR MAGIE FAIT SOUFFRIR LES VILLA-GEOIS !
C'EST HORRIBLE !
ON VEUT JUSTE SAUVER CETTE ÎLE...

JE M'EN MOQUE.

!!
EUH... LAISSEZ-NOUS AU MOINS FINIR LE TRAVAIL !
TSAC

QUEL TRAVAIL ? TU FAIS ERREUR, LUCY.
VOUS AVEZ TRAHI LE MAÎTRE.

NE CROIS PAS QUE JE PUISSE VOUS LE PARDONNER AUSSI FACILEMENT.
ELLE ME FOUT LA TROUILLE !

FAIRY TAIL
FAIRY TAIL
NOM : NAB LASARO - ÂGE : 20 ANS
MAGIE : CAPTURE MAGIQUE = POSSESSION ANIMALE
CHOSES PRÉFÉRÉES : LES ROMANS D'HORREUR
CHOSE DÉTESTÉE : LE CÉLERI
WIZARD GUILDX633
IL UTILISE UNE MAGIE DE POSSESSION.
IL EN EXISTE DE PLUSIEURS SORTES,
CELLE DE NAB LUI PERMET DE S'APPROPRIER
L'ESPRIT D'UN ANIMAL POUR EN UTILISER
SA FORCE DANS LES COMBATS. IL AIME TOURNER
EN ROND DEVANT LE TABLEAU DES PETITES
ANNONCES MAIS IL NE RÉPOND JAMAIS À
AUCUNE D'ELLES. IL PRÉTEND QU'IL RECHERCHE
UNE MISSION QUE LUI SEUL POURRA ACCOMPLIR.
COMME IL NE FAIT JAMAIS RIEN, MIRA LUI A
DEMANDÉ S'IL SERAIT INTÉRESSÉ PAR
UN POSTE DE SERVEUR À LA GUILDE.
CHAPITRE 35 : FAIS CE QU'IL TE PLAÎT !

!
CUI CUI
CUI CUI

TSAP

JE SUIS OÙ, LÀ ?

VOUS ÊTES RÉVEILLÉ ? TANT MIEUX !
!!

C'EST NORMAL QUE VOUS SOYEZ UN PEU PERDU. NOUS SOMMES DANS UNE CACHETTE À L'ÉCART DU VILLAGE.
LE VILLAGE A ÉTÉ DÉTRUIT HIER SOIR, MAIS TOUS LES HABITANTS ONT ÉTÉ ÉVACUÉS.

LE VILLAGE...
A ÉTÉ DÉTRUIT ?

DÉTRUISEZ LE VILLAGE !
!!

LEON EST VRAIMENT PASSÉ À L'ACTE !
TSAP
ARGH !
GRÂCE À NATSU ET À LUCY...
IL N'Y A PAS EU DE BLESSÉS ET TOUT LE MONDE A PU ÊTRE SAUVÉ.
ILS SONT ENCORE LÀ ?
OUI !

ILS M'ONT DEMANDÉ DE VOUS DIRE DE LES REJOINDRE DANS LEUR TENTE À VOTRE RÉVEIL.

TADAM
!!
ERZA ?!

SNIF SNIF
LUCY ?! HAPPY ?!
SNIF

LUCY M'A EXPLIQUÉ LA SITUATION.

TU NE DEVAIS PAS LES RAMENER À FAIRY TAIL, GREY ?
...

TU M'ÉTONNES, GREY.

OÙ... OÙ EST NATSU ?

J'AIMERAIS LE SAVOIR.

LUCY... OÙ EST NATSU ?
JE NE SAIS PAS. IL A COMBATTU LES SBIRES DE L'EMPEREUR ZERO AU VILLAGE.

IL S'EN EST DÉBARRASSÉ MAIS PERSONNE NE L'A REVU.

ET ERZA M'A ORDONNÉ DE LA CONDUIRE JUSQU'À TOI.
COMMENT VOUS AVEZ FAIT POUR TROUVER CET ENDROIT, IL PARAÎT QUE C'EST UNE CACHETTE ?
J'AI VOLÉ POUR LA REPÉRER.
EN ÉTANT ATTACHÉ.

NATSU DOIT ÊTRE EN TRAIN DE TOURNER EN ROND POUR NOUS TROUVER.
TSAP

JE VAIS ALLER LE CHERCHER.
DÈS QUE JE L'AURAI RETROUVÉ, ON RENTRE À LA GUILDE.

HEIN ? QU'EST-CE QUE TU DIS ?
SI LUCY T'A EXPLIQUÉ, TU SAIS CE QUI SE PASSE SUR CETTE ÎLE.

ET
ALORS
?

NON
NON

...

ÇA CRAINT. C'ÉTAIT UNE BONNE IDÉE...
FROUT
FROUT
MAIS J'AI TROP DORMI.

ALLEZ...
ON Y VA !
JE SUIS VENU VOUS CHERCHER POUR VOUS RAMENER À LA GUILDE...
IL NE ME MANQUE PLUS QUE NATSU.
LE RESTE NE M'INTÉRESSE PAS...

TU AS VU LES HABITANTS DE CETTE ÎLE.
OUI !
ET TU VEUX LES ABANDONNER À LEUR SORT ?

REQUEST BOARD
LEUR ANNONCE EST DANS TOUTES LES GUILDES.
UN MAGICIEN HABILITÉ AUX S-QUEST POURRA SE CHARGER DE CETTE MISSION.

TU ME DÉÇOIS, ERZA.

QUOI ?!
TSC

GREY ! NE PARLE PAS COMME ÇA À DAME ERZA !
DAME ERZA ?!

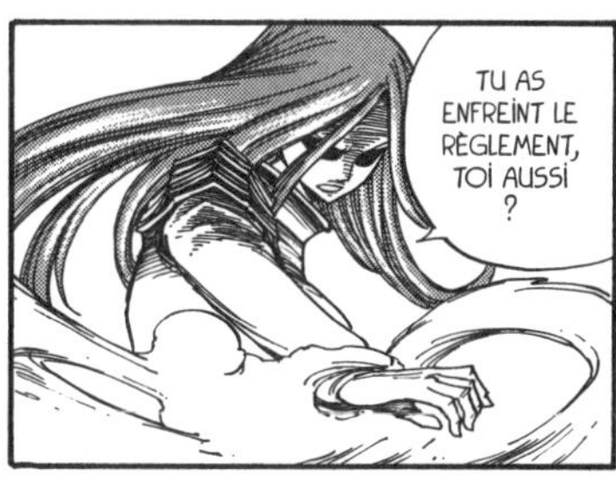
TU AS ENFREINT LE RÈGLEMENT, TOI AUSSI ?

TSAC

JE SUIS LÀ POUR TE RAME-NER À LA MAISON !

!
TSAP
FAIS CE QUE TU VEUX, ERZA !
MOI, J'AI PRIS MA DÉCISION !
JE DOIS LE FAIRE !

TSAC
J'IRAI AU BOUT DE CETTE MISSION.
TUE-MOI, SI TU VEUX.

PLITCH
PLITCH

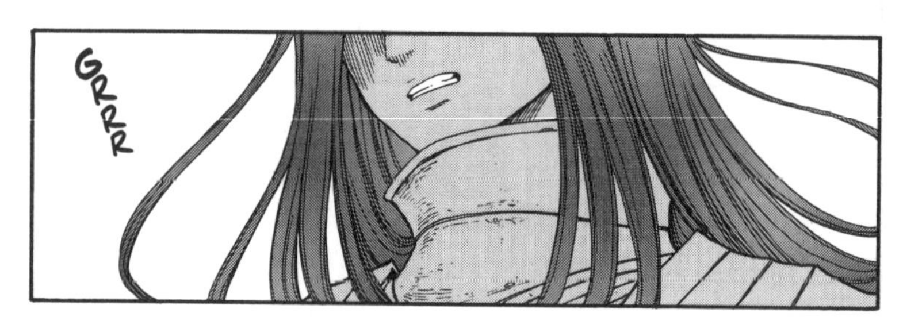
GRRR

EUH... ERZA... CALMEZ-VOUS...
GREY A PERDU UN COMBAT FACE À UN VIEUX COPAIN. IL EST CONTRARIÉ, NE LUI EN VOULEZ PAS.

TSIC

ERZA-AAAA !
NATSU ! AU SECOURS !

POU !! F

ON Y VA
!
HEIN
?

ON REPARLERA
DE TOUT ÇA
PLUS TARD.

ON VA
DÉJÀ FINIR
LE BOULOT.

MAIS VOUS
N'ÉCHAPPEREZ PAS À
VOTRE CHÂTIMENT
!
D'ACCORD
!

C'EST LAMENTABLE.
TU ES LE SEUL À T'EN ÊTRE SORTI ?
OUAIS !
CEUX DE FAIRY TAIL SAVENT SE BATTRE.
S'IL VOUS PLAÎT, DITES À PERSONNE COMMENT JE ME SUIS FAIT AVOIR PAR CE NATSU.
...

CELA REMET PEUT-ÊTRE LE RÉVEIL DE DELIORA EN QUESTION.
TU ÉTAIS LÀ, ZALTY ?

CE SOIR, LA MAGIE DE LA LUNE VA SE DÉVERSER SUR DELIORA ET LE RÉVEILLER.

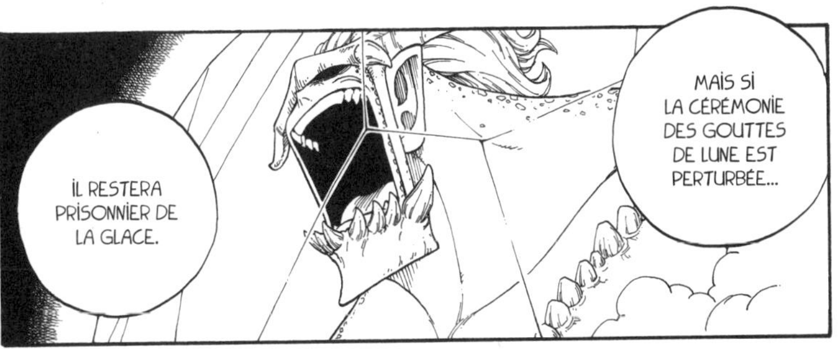
MAIS SI LA CÉRÉMONIE DES GOUTTES DE LUNE EST PERTURBÉE...
IL RESTERA PRISONNIER DE LA GLACE.

J'AURAIS DÛ M'EN CHARGER DÈS LE DÉBUT.
J'AI TROP HONTE DE M'ÊTRE BATTU MOI-MÊME.

ET MAINTENANT, TU VAS DEVOIR AFFRONTER LA SALAMANDRE ET ERZA TITANIA.
JE VOIS QUE TU ES TOUJOURS BIEN INFORMÉ !

ILS NE FONT PAS LE POIDS FACE À MOI.
JE SUIS PLUS PUISSANT QU'OUL.

TANT MIEUX, TANT MIEUX.

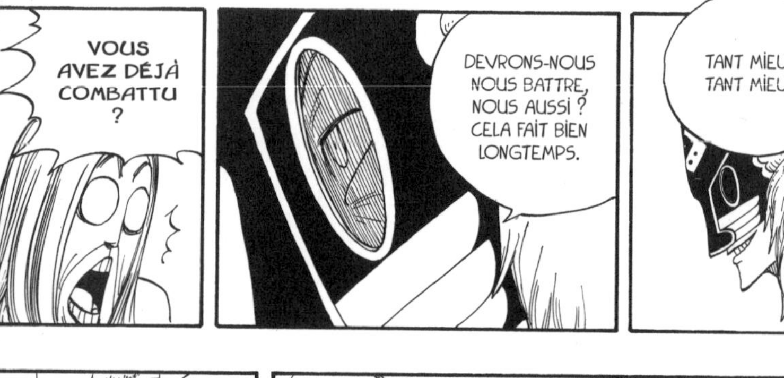
DEVRONS-NOUS NOUS BATTRE, NOUS AUSSI ? CELA FAIT BIEN LONGTEMPS.
VOUS AVEZ DÉJÀ COMBATTU ?

OUI...
UN PEU AVEC LA MAGIE PERDUE.
LA MAGIE PERDUE ?
C'EST QUOI ?
HUM... VRAIMENT GLAUQUE, CE TYPE.

TSAP
TSAP
TSAP
!
BRRRRRRR
BROOOOM
BROOOOM
C'EST UN TREMBLEMENT DE TERRE ?
BRRR
BRRR
QU'EST-CE QUE... ?
BROOOOM
LES RUINES S'EFFONDRENT !
!!

NON, ON DIRAIT QUE LE TEMPLE S'INCLINE SUR UN CÔTÉ !
BROOOOOM
ÏL A FAIT VÏTE...
!!
ENCORE LUÏ ?!
QUOI ?!
REGARDEZ, ÏL EST EN BAS.

D'HABITUDE, QUAND JE NE SAIS PAS OÙ JE VAIS, JE DÉMOLIS TOUT...
WOOOOOO
MAIS LÀ, ÇA ME SEMBLAIT SUPER COMPLIQUÉ.
QU'EST-CE QUE ÇA SIGNIFIE ?
J'AI FAIT PIVOTER LE TEMPLE.
COMME ÇA LA LUMIERE DE LA LUNE N'ATTEINDRA PLUS DELIORA !
BWOOOOM

FAIRY TAIL
FAIRY TAIL
NOM : READERS JOHNNER - ÂGE : 27 ANS
MAGIE : PICTO MAGIE
CHOSES PRÉFÉRÉES : LES IMAGES
CHOSES DÉTESTÉES : LES CAROTTES
WIZARD GUILD
SA PICTO MAGIE LUI PERMET D'ANIMER SES DESSINS ET DE S'EN SERVIR COMME ARME. TOUTEFOIS, POUR ANIMER UN DESSIN, IL NE PEUT PAS DESSINER N'IMPORTE OÙ. ÇA NE FONCTIONNE QUE S'IL DESSINE SUR SON PROPRE CORPS. POUR CELA, IL FAUT UNE GRANDE SURFACE DE DESSIN (UN GRAND CORPS), C'EST POUR CELA QUE SON MAÎTRE LUI A LANCÉ UN SORT DE GIGANTISME POUR LUI DONNER LE CORPS QU'IL A ACTUELLEMENT. LES PINCEAUX DE LUMIÈRE N'ÉTANT PAS EN VENTE EN MAGASIN, IL EST ALLÉ DIRECTEMENT CHEZ LE FABRICANT, MAIS ÇA N'A RIEN CHANGÉ.

CHAPITRE 36 : OUL

QU'EST-CE QUE TU AS FAIT... ?
WOOOOOOOO
CHIEN DE FAIRY TAIL !

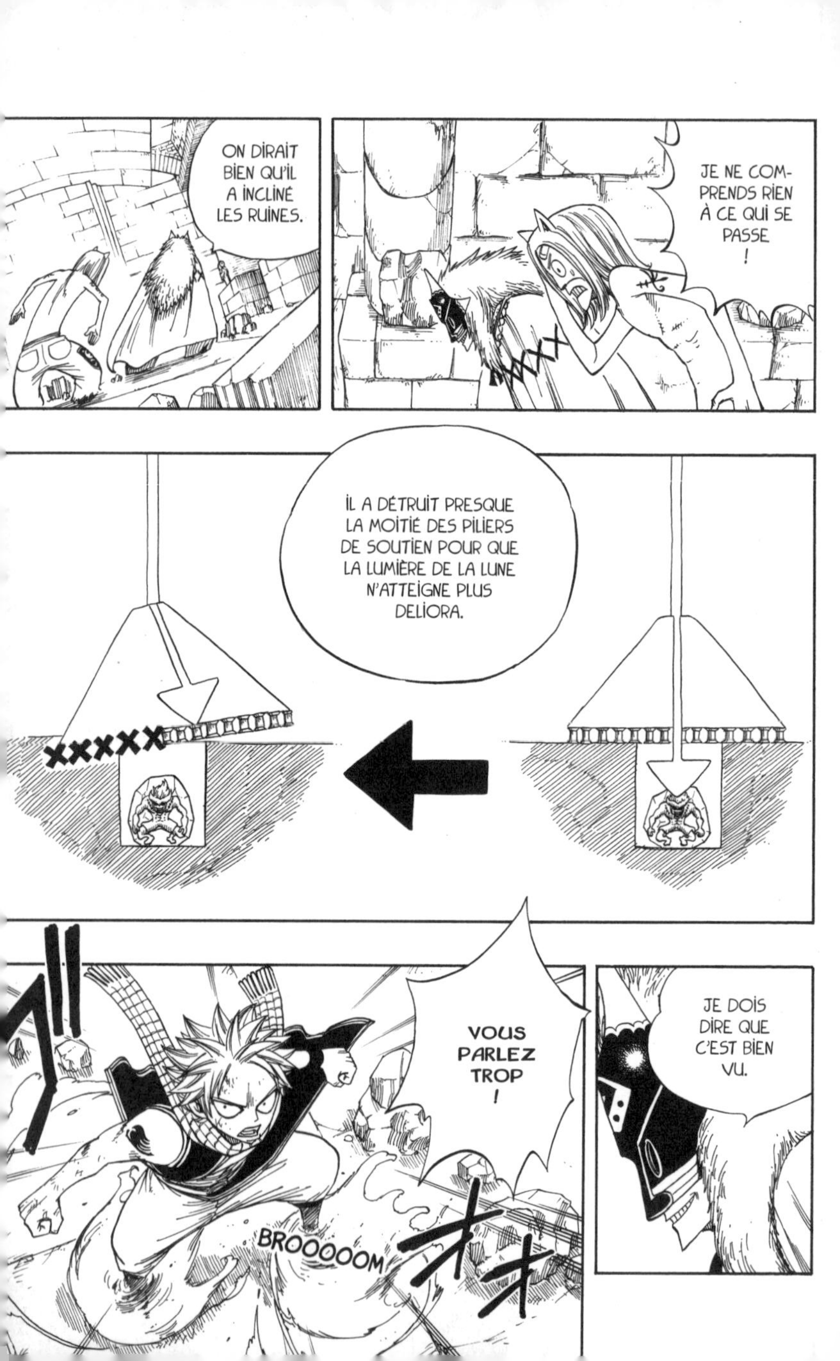
JE NE COMPRENDS RIEN À CE QUI SE PASSE !
ON DIRAIT BIEN QU'IL A INCLINÉ LES RUINES.
IL A DÉTRUIT PRESQUE LA MOITIÉ DES PILIERS DE SOUTIEN POUR QUE LA LUMIÈRE DE LA LUNE N'ATTEIGNE PLUS DELIORA.
JE DOIS DIRE QUE C'EST BIEN VU.
VOUS PARLEZ TROP !
BROOOOOM

POM
DES PIEDS DE FEU ?
OUAIS ! IL A DU FEU QUI LUI SORT DE PARTOUT !
YAAAAAH !
FSHAAAAAAAA

BWAOOOOM
CRIC
CRIC
CRIC

パリイイイン
CLIIING
!!
PAR ICI !
TU N'ÉCHAPPERAS PAS À CETTE ATTAQUE AÉRIENNE !
ギュアアッ
FSHAAAAAA

PAM
BFOU
FOUTCH
BEN SI, J'Y SUIS ARRIVÉ !
BROOOOM

FSHROUUUUUU
YO !
C'EST N'IMPORTE QUOI, CETTE MAGIE !

FSHAAAAA
OUTCH !
PAF

T'AIMES BIEN LES ATTAQUES AÉRIENNES, PAS VRAI ?!
HURLEMENT DU DRAGON !
BRAOOOOM
!!
HEiiiiN ?
BROOM
BROOM
CROTCH
CRIC
CRIC

BROOOM

TSSS !
TSAP

OUF, NOUS AVONS DE LA CHANCE, VOTRE MAJESTÉ.
S'IL VOUS PLAÎT, NE DITES À PERSONNE QU'IL M'A ENCORE EU !

QU'AS-TU FAIT, ZALTY ?
PARDON ?
NE FAIS PAS L'INNOCENT ! C'EST TOI QUI AS FAIT S'EFFONDRER LE SOL !

VOUS AVEZ RAISON, MAJESTÉ.
MAIS COMPRENEZ-MOI. TANT QUE DELIORA N'EST PAS RÉVEILLÉ, NOUS NE POUVONS PAS VOUS PERDRE.
CRITCH
TU CROIS QUE CES FLAMMES POURRAIENT ME TUER ?
CRITCH
CRITCH
!!
CRITCH
CRITCH
CRITCH
CRITCH
CRITCH

SORTEZ !
JE VAIS M'OCCUPER DE LUI !

JE SUIS LEON, L'EMPEREUR ZERO, L'UNIQUE MAGICIEN CAPABLE DE VAINCRE DELIORA !
JE NE FERAI QU'UNE BOUCHÉE DE CE MINABLE !
OULÀ !

DÉTRUIRE DELIORA ?

C'EST VRAIMENT CE QU'IL VEUT ?
TAPATAPATAPATAP

IL N'EST PAS DÉJÀ À MOITIÉ MORT ?
TU VEUX LE SORTIR DE LA GLACE POUR L'AFFRONTER, C'EST ÇA ?
T'ES BIZARRE, COMME MEC.
JE FERAIS TOUT POUR SURPASSER OUL !
ET POUR VOIR MON RÊVE S'ACCOMPLIR !
FLAP

CE SERAIT PAS PLUS SIMPLE D'AFFRONTER OUL DIRECTEMENT ?
TU N'AS PAS COMPRIS ? OUL EST MORTE.
BOM
BOM
TSAP
BOM
BOM
BOM
TSAP
BOM
OUL, MON MAÎTRE DE MAGIE, A DONNÉ SA VIE POUR ENFERMER CE DÉMON.
IL VOULAIT DIRE QU'ELLE ÉTAIT MORTE ?
OUI, À CAUSE DE GREY !
TSAP
!!
PLATCH

JE NE SAIS PAS CE QUI S'EST PASSÉ EXACTEMENT...
MAIS TROP DE PERSONNES SOUFFRENT À CAUSE DE TOI, AUJOURD'HUI !
FAUDRAIT QUE T'OUVRES LES YEUX !
ET JE VAIS T'Y AIDER À COUP DE FLAMMES !
BWOUSH

LEON A TOUJOURS VOULU PROUVER QU'IL POUVAIT SURPASSER OUL.
MAINTENANT QU'ELLE N'EST PLUS LÀ...
IL VEUT RÉUSSIR LÀ OÙ ELLE A ÉCHOUÉ, EN DÉTRUISANT DELIORA.

JE VOIS, C'EST LA SEULE FAÇON DE FAIRE MIEUX QU'UNE MORTE.
OUAIS !
EN FAIT... IL NE SAIT PAS TOUT...
HEIN ?

C'EST VRAI QU'ON N'A JAMAIS REVU OUL...
MAIS...

ELLE EST TOUJOURS EN VIE !
QUOI ?!
NON !

QU'EST-CE QUE TU VEUX DIRE ?
QUE S'EST-IL PASSÉ À L'ÉPOQUE ?
C'ÉTAIT IL Y A DIX ANS...
DELIORA A ATTAQUÉ MA VILLE.
IL LUI A FALLU MOINS D'UNE JOURNÉE POUR TOUT DÉTRUIRE.
DELIORA...
J'EN AVAIS ENTENDU PARLER, MAIS JE NE L'IMAGINAIS PAS COMME ÇA...
OUL - MAGICIENNE DES GLACES.

!
BOUH...
LEON ! VIENS PAR ICI !
IL Y A UN SURVIVANT !
BOU-HOU...
BOU-HOU...
BOU-HOU...
BOU-HOU...
OUL ET LEON PASSAIENT PAR HASARD, ILS M'ONT SAUVÉ LA VIE.
HEY ! ÇA VA ?
DELIORA...
VA ME LE PAYER !
JE LE JURE !
C'EST LÀ QUE TOUT A COMMENCÉ.
CRRRR

FAIRY TAIL
CHAPITRE 37 : L'OISEAU BLEU
FAIRY TAIL
NOM : MACAO COMBOLTO - ÂGE : 36 ANS
MAGIE : PURPLE FLAME
CHOSE PRÉFÉRÉE : SON FILS (ROMEO)
CHOSES DÉTESTÉES : LES LOYERS
WIZARD GUILD×631
IL EST PLUS ÂGÉ QUE LA PLUPART DES MEMBRES DE FAIRY TAIL. SES FLAMMES SONT D'UN VIOLET UNIQUE AU MONDE ET NI L'EAU NI LE VENT NE PEUVENT LES ÉTEINDRE. IL PRATIQUE AUSSI UN PEU LES SORTS DE TRANSFORMATION PHYSIQUE. IL EST SUFFISAMMENT DOUÉ POUR QUE MÊME MIRAJANE, LA SPÉCIALISTE DANS CE DOMAINE, SE LAISSE PRENDRE. IL S'INVESTIT TELLEMENT DANS SON TRAVAIL QUE SA FEMME, FATIGUÉE DE NE PLUS LE VOIR, A DEMANDÉ LE DIVORCE. BIEN QU'IL SEMBLE DÉTESTER LA VIE DE FAMILLE, DEPUIS QUELQUE TEMPS, IL A UNE PETITE AMIE QUI SEMBLE TRÈS CASANIÈRE.

ON VA COMMENCER PAR LA BASE DE LA MAGIE DES GLACES.
TSAP
TSAP
TSAP
TU PENSES POUVOIR RÉSISTER, GREY ?
MON ENTRAÎNEMENT EST TRÈS DUR.
OUAIS !
JE FERAI TOUT CE QUE VOUS ME DEMANDEREZ !
JE VEUX APPRENDRE ET M'ENTRAÎNER JUSQU'AU POINT D'ÊTRE ASSEZ FORT POUR VAINCRE DELIORA ?

ZUIP
!!
FOUTCH
QU'EST-CE QUE... ?!
QU'EST-CE QUE VOUS FAITES ?!
DÉSHABILLE-TOI, TOI AUSSI.
N'IMPORTE QUOI ! JE VAIS PAS ME DÉSHABILLER SOUS LA NEIGE !

T'ES UNE FILLE ! T'AS PAS HONTE DE TE METTRE DANS CETTE TENUE ?
AH !
CE N'EST PAS LA PREMIÈRE FOIS QUE JE SUIS EN SOUS-VÊTEMENTS DEVANT DES GAMINS !
SI TU VEUX CONTRÔLER LE FROID, TU DOIS NE FAIRE QU'UN AVEC LUI.
C'EST LA BASE DE NOTRE MAGIE.
GLA GLA GLA
GLA GLA
LA VAAAAA-CHE !
ON S'Y HABITUE VITE.
TU TREMBLES AUSSI, TOI !
VENEZ, ON VA COURIR !
JE VEUX APPRENDRE LA MAGIE !
ALLEZ, COURS ! IL FAUT COMMENCER PAR LE COMMENCEMENT !

VOUS COMPRENEZ ?
PARMI TOUS LES TYPES DE MAGIE...
LA MAGIE CONSTRUCTIVE EST CELLE DE LA LIBERTÉ.
ELLE A AUTANT DE FORMES QU'IL Y A DE PERSONNES.
C'EST LA MAGIE QUI RÉVÈLE LE PLUS LA PERSONNALITÉ DE CELUI QUI LA PRATIQUE.
TRAVAILLEZ DUR !
ET TROUVEZ VOTRE PROPRE STYLE.

TU AS UN DISCIPLE DE PLUS ?
IL EST ADORABLE !
IL S'APPELLE GREY. ET IL EST UN PEU TROP RÉVOLTÉ ET INDISCIPLINÉ.
CRUNCH
MAIS JE SUIS SÛRE QUE TOUS LES DEUX, ILS DEVIENDRONT DE VRAIS HOMMES.
QUAND ILS SERONT PLUS GRANDS, TU M'EN PRÉSENTERAS UN ?
JE TE LES LAISSE TOUS LES DEUX ! ILS SONT BIEN TROP SOÛLANTS !
FIORE BANANA
JOVE FRUIT
LES HOMMES T'ÉVITENT PARCE QU'ILS CROIENT QUE TU AS DES ENFANTS.
NE T'INQUIÈTE PAS POUR ÇA.

TU NE RAJEUNIS PAS, OUL. TU DEVRAIS PENSER À TON PROPRE BONHEUR.
JOVE FRUIT
GREY, D'APRÈS TOI, QUAND EST-CE QU'ON SERA PLUS FORTS QU'OUL ?
JE M'EN FOUS.
MOI, C'EST MON BUT ! JE RÊVE DE RÉUSSIR À LA BATTRE UN JOUR.
JE TE DIS QUE JE M'EN FOUS...
T'AS PAS ENTENDU ?
TOUT CE QUI M'INTÉRESSE, C'EST DE BATTRE DELIORA.
DÈS QUE JE SERAI ASSEZ FORT, JE LAISSERAI TOMBER CETTE FOLLE !

QUI EST FOLLE ?!
PLAF
AÏE !
QUAND EST-CE QUE TU NOUS APPRENDRAS DES SORTS PUISSANTS ?
JE T'EN APPRENDS DÉJÀ.
C'EST PAS PUISSANT DE FABRIQUER TES TRUCS !
ÇA SERT À RIEN !
JE VOUS AI POURTANT BIEN DIT...
QUE LA MAGIE CONSTRUC-TRIVE ÉTAIT CELLE DE LA LIBERTÉ !
QUAND TU AURAS COMPRIS ÇA...
ALORS, TU DÉTIENDRAS LA VRAIE PUISSANCE.
PFF !

AU FAIT, POURQUOI TU TE DÉSHABILLES ICI ?!
PLAF
HEIN ?
À CAUSE DE TOI, J'AI PRIS DE MAUVAISES HABITUDES !
HI HI HI HI
T'AS ENTENDU CE QU'ON DIT SUR DELIORA ?
IL SERAIT PARTI SUR LE CONTINENT NORD.
IL SERAIT DU CÔTÉ DE BRAGO.
SÉRIEUX ?
ALORS, LA PAIX EST REVENUE À ISBAN ?
IL SERAIT À BRA-GO ?
ARRÊTE ! TU NE BATTRAS PAS DELIORA !
TU N'Y ARRIVERAS PAS, GREY !
LA FERME !
TU ME COM-PRENDS PAS !

JE VEUX VENGER MON PÈRE ET MA MÈRE !
ÇA TE VA COMME EXPLICA-TION ?!
SI TU T'EN VAS, JE TE RENIE !
TANT MIEUX !
GREY !
TU AURAS MA MORT SUR LA CONSCIENCE !

BAH... LES RUINES PENCHENT...
NON ?
QU'EST-CE QUI S'EST PASSÉ ?!
C'EST NATSU.

JE NE SAIS PAS COMMENT IL A FAIT, MAIS Y A QUE LUI POUR FAIRE UN TRUC AUSSI DINGUE.
EST-CE QU'IL L'A FAIT EXPRÈS OU PAS, J'EN SAIS RIEN, MAIS COMME ÇA, LA LUMIÈRE DE LA LUNE N'ATTEINDRA PLUS DELIORA.

TSAP
TSAP
TSAP
!
TSAP
STOP ! QUELQU'UN ARRIVE !
TSAP
TSAP
TSAP
ON VOUS TIENT, CHIENS DE FAIRY TAIL !
FSAAAP
AAAH !
Y A PLEIN DE TYPES BIZARRES !
FILEZ !
!
FSAP
FSAP
FSAP

JE M'OCCUPE D'EUX.
ERZA ?

VA T'OCCUPER DE LEON.

HUM

IL NE SAIT PAS QU'OUL EST VIVANTE.
JE SUIS LE SEUL À POUVOIR L'ARRÊTER.

HAN !
HAN !
HAN !
HAN !
LA VACHE...

BROOOOOM
JE PENSAIS PAS QU'IL ÉTAIT SI BALÈZE !

BAOOOOOM

HAN ! HAN !
HAN ! HAN !
!
GREY !
AAAAAAAH !
ÇA VA.
MMH
TU ES EN SÛRETÉ LÀ !
GLA GLA GLA
GLA GLA GLA
...
OUI... ?
MAIS... POURQUOI ?
NE POSE PAS DE QUESTIONS ET EMMÈNE LEON LOIN D'ICI.
JE NE PEUX PAS ME BATTRE ET VOUS PROTÉGER EN MÊME TEMPS.
LEON ?
IL EST ASSOMMÉ.

AH !
TSAP
...
VA-T'EN ! VITE ! JE M'OCCUPE DE CE MONSTRE !
POU... POUR-QUOI...
T'ES... VENUE ?
TU M'AS RENIÉ, NON ?
L'AUTRE JOUR, UNE AMIE M'A CONSEILLÉ DE PENSER À MON BONHEUR...
JE NE PENSAIS PAS AVOIR L'AIR SI MALHEUREUSE QUE ÇA POURTANT.

APRÈS TOUT, J'AI DEUX DISCIPLES SUPER MIGNONS, NON ?
ILS FONT DES PROGRÈS CHAQUE JOUR ET ANIMENT MES JOURNÉES...
ÇA SUFFIT AMPLEMENT À MON BONHEUR !
JE SUIS VENUE POUR RETROUVER CE BONHEUR.
FSOUP
OUI...
EUH...
TA... TA...
TA JAMBE ...

IL ME L'A ARRACHÉE MAIS CE N'EST PAS SI GRAVE QUE ÇA.
RAAAAAAH
C'EST CHOUETTE LA MAGIE CONSTRUCTIVE, NON ?
SNIF...
SNIF...
SI CE MONSTRE TE FAIT FAIRE DES CAUCHEMARS...
ÇA ME DONNE UNE BONNE RAISON DE LE COMBATTRE !
SNIF...
SNIF...

FAIRY TAIL
FAIRY TAIL
NOM : KANNA ALPERONA - ÂGE : 18 ANS
MAGIE : CARTES MAGIQUES
CHOSE PRÉFÉRÉE : L'ALCOOL
CHOSES DÉTESTÉES : LES BOISSONS NON-ALCOOLISÉES
WIZARD GUILDX637
POUR COMMENCER, DANS CE PAYS, ON PEUT
BOIRE DE L'ALCOOL À PARTIR DE 15 ANS,
MAIS KANNA A COMMENCÉ À L'ÂGE DE 13 ANS.
UN TIERS DE L'ALCOOL CONSOMMÉ DANS L'ANNÉE
À LA TAVERNE DE LA GUILDE L'EST PAR KANNA.
ELLE UTILISE DES CARTES MAGIQUES, PARFOIS,
ELLE LES UTILISE COMME DES PROJECTILES ET
PARFOIS ELLE LES ASSOCIE ENTRE ELLES
HABILEMENT POUR OBTENIR TOUTES SORTES
D'EFFETS PENDANT LES COMBATS. ELLE S'INTÉRESSE
UN PEU À MACAO, SON COMPAGNON DE BOISSON.
CE DERNIER LUI AYANT CONSEILLÉ DE DIMINUER
SA RATION D'ALCOOL, ELLE L'A ÉCOUTÉ, MAIS
DEPUIS QU'ELLE SAIT QU'IL A UNE NOUVELLE
COPINE, ELLE EST REVENUE À SON NIVEAU INITIAL.

CHAPITRE 38 : UN SORT ÉTERNEL

FILE !
JE M'OCCUPE DU MONSTRE !
NON... JE NE PEUX PAS PARTIR !
C'EST À CAUSE DE MOI QUE TOUT ÇA EST ARRIVÉ.
CE N'EST LA FAUTE DE PERSONNE.
C'EST UNE ÉPREUVE POUR RETROUVER LE BONHEUR.

FSHOUUU
FSHAAAA

RAAH !
OUAH !
BAOOOOM
CRI
IIIC
!
CRIC CRIC CRIC
CRIC
CRIC
QU'EST-CE QUI SE PASSE ?
CRIC CRIC CRIC CRIC
CRIC CRIC
CRAAA AAAC

WOOOO
OUI...
T'ES SÉRIEUSE ?
LEO...
C'EST QUOI, CETTE HISTOIRE, DE BONHEUR ?
...
T'ES LA PLUS FORTE DES MAGICIENS !
CE MONSTRE NE PEUT PAS FAIRE LE POIDS CONTRE TOI.
BEUH
BEUH
LEON... JE TE L'AI DÉJÀ DIT : IL Y A TOUJOURS QUELQU'UN DE PLUS FORT QUE SOI.
DANS LES RÉGIONS DE L'OUEST, IL Y A DES MAGICIENS PLUS PUISSANTS QUE MOI.
C'EST PAS POSSIBLE.
T'ES LA PLUS FORTE.
FROUTCH
RAAAH !
FROUTCH
SI C'EST LE CAS...
ÇA SERT À QUOI QUE JE M'ENTRAÎNE ?
QUAND TU M'AURAS SURPASSÉE, TU CHERCHERAS UN NOUVEAU BUT.

JE SUIS DEVENU TON DISCIPLE PARCE QUE JE CROYAIS QUE TU ÉTAIS LA PLUS FORTE.
TU PEUX PAS PERDRE FACE À CE MONSTRE ! TU PEUX PAS ME TRAHIR !
LEON...
SI TU VEUX PAS LE BATTRE, MOI, JE VAIS LE FAIRE !
TSAP
!?
CETTE POSITION...
WOOOOOOM
OÙ TU AS APPRIS ÇA ?!
HEIN ?

TU NOUS APPRENAIS PAS DE SORTS ASSEZ PUISSANTS, ALORS JE SUIS ALLÉ LIRE LE GRIMOIRE DANS TON COFFRE.
WOOOOOO
TU NOUS AS CACHÉ DES SORTS TRÈS PUISSANTS ! GLACE ABSOLUE !
LA GLACE ABSOLUE ?
LEON ! TU N'AS PAS LU LE GRIMOIRE JUSQU'AU BOUT !
CELUI QUI LANCE CE SORT...
BROOOOM
AAAAH !
OUI !
HUM ?
IL EST TERRIBLE, CE SORT !
TSS !
IL NOUS A VUS !
AUCUN SORT N'A DE PRISE SUR LUI. JE VAIS DEVOIR L'ENFERMER DANS LA GLACE À TOUT JAMAIS !

N'UTILISE PAS CE SORT !
CLING
シャキィーン
CLING
CLING
CLING
CLING
OUI ! QU'EST-CE QUE TU AS FAIT ?
LE SORT DE GLACE ABSOLUE...
CONSOMME LE CORPS DE CELUI QUI LE LANCE.
MAIS C'EST LA SEULE SOLUTION POUR VAINCRE CE MONSTRE !
ズシィィン
BROOOM
ズシーン
BROOOM
LEON VOULAIT FAIRE CE QUE J'AVAIS PRÉVU DE FAIRE !

C'EST BIEN MON DISCIPLE !
CE QUE TU AVAIS PRÉVU ?!
RECULE !
TSAD
OUI !
TU NE TOUCHERAS PAS À MES DISCIPLES !
TA ROUTE S'ARRÊTE LÀ, SALE MONSTRE !

GLACE ABSOLUE !
BWAOOOOM
OUL !
RAAAAH !
CLING
TON CORPS...

JE TE L'AI DIT, CE SORT VA CONSOMMER MON CORPS.
IL VA LE TRANSFORMER EN GLACE...
POUR L'ÉTERNITÉ.
!!
GREY...
J'AI UN SERVICE À TE DE-MANDER.
DIS À LEON QUE JE SUIS MORTE.
HEIN ?
S'IL APPREND QUE JE ME SUIS TRANSFORMÉE EN GLACE, IL PASSERA SA VIE À ESSAYER DE ME RENDRE MON APPARENCE.
NON !
S'IL LE FAIT, MA TRANSFORMATION N'AURA SERVI À RIEN !
ARRÊTE !
WOOOOOOM

TU DOIS EN APPRENDRE PLUS SUR LE MONDE À LEON !
ARRÊTE !
PLAAAAAAF
PLAM
GREY... C'EST VRAI POUR TOI AUSSI.
JE T'EN SUPPLIE ! ARRÊTE !
JE FERAI TOUT CE QUE TU ME DEMANDERAS !
NE SOIS PAS TRISTE.

JE SUIS TOUJOURS VIVANTE.
EN GLACE, JE VIVRAI ÉTERNELLEMENT.
SUIS TON CHEMIN...
NE RENONCE PAS À TON AVENIR !

OUUUUUUUUUUUUUUUL !
JE VAIS ENFERMER TON CAUCHEMAR !

!!
HEIN ?
DELIORA ?!
OÙ EST OUL ?!
QU'EST-CE QUI LUI EST ARRIVÉ ?!

ELLE...
ELLE EST MORTE.
C'EST... PAS VRAI...
...
C'EST PAS VRAI !

COMMENT JE VAIS RÉALISER MON RÊVE, ALORS ?
COMMENT JE VAIS FAIRE POUR LA SURPASSER ?!
HEIN ?!
DÉSOLÉ...
BON SANG !
BON SANG !
SI SEULEMENT... SI SEULEMENT, T'AVAIS PAS DÉFIÉ DELIORA !
C'EST DE TA FAUTE, GREY !
T'AS TUÉ OUL !
CRIC
CRIC
CRIC
CRIC

CRAAAAC

NATSU...
C'EST À MOI
DE COMBATTRE
LEON.
!

T'ES SÛR, IL T'A DÉJÀ ÉTALÉ UNE FOIS !

ÇA N'ARRIVERA PLUS.
JE VAIS PRENDRE MA RE-VANCHE.

TU ES BIEN SÛR DE TOI, GREY.

IL Y A DIX ANS, OUL EST MORTE À CAUSE DE MOI.

MAIS...
T'AS BLESSÉ MES AMIS ET TOUT UN VILLAGE...
POUR BRISER CETTE GLACE ET ÇA, JE TE LE PARDONNERAI PAS !

TU VAS PAYER POUR ÇA...
WOOOOM
LEON...
?
NON... CETTE POSI-TION, C'EST...

CHAPITRE 39 : LA VÉRITÉ EST UNE ÉPÉE DE GLACE

WOOOOOOOOM
OUI. L'A ENFERMÉ GRÂCE AU SORT DE LA GLACE ABSOLUE.
LA GLACE QUOI ?
LA GLACE ABSOLUE ?!

ELLE A DONNÉ SA VIE POUR ENFERMER CE DÉMON !
TU N'AS PAS ENTENDU ? OUL EST MORTE ?
!!
TU ES DEVENU FOU, OU QUOI ?
TU VAS RENDRE LEUR APPARENCE AUX VILLAGEOIS SUR-LE-CHAMP... ET FOUTRE LE CAMP AVEC TA BANDE.
C'EST TA DERNIÈRE CHANCE.
TU VOULAIS JUSTE M'IMPRES-SIONNER EN INVOQUANT CE SORT...
C'EST LAMENTABLE.

BWOOM
!!
!!
AH !
OUAH !
FSHAAAAA
WOOO
JE SUIS SÉRIEUX !

TU VAS ME LE...
OUAA-AAH !
PLAAM
FSHOUUUU
PAS MAL D'ANNÉES ONT PASSÉ DEPUIS...
MAIS, ÇA NE CHANGE RIEN AU FAIT QU'OUL SOIT MORTE À CAUSE DE MOI.
WOOOOOOO
IL FALLAIT BIEN QU'UN JOUR OU L'AUTRE JE L'ASSUME...

PLIC
CE JOUR EST ARRIVÉ.
JE SUIS PRÊT À MOURIR.
WOOOOM
VRAI-MENT ?
TU ES SÉRIEUX ?!
C'EST TOI QUI CHOISIS, LEON !
ON MEURT ENSEMBLE...
OU ON RESTE EN VIE ?
HIN HIN

FAIS-LE !
MAIS JE SUIS SÛR QUE TU N'AS PAS LE COURAGE DE MOURIR.
TANT PIS.
RAAAAH !
ON VA EN FINIR POUR DE BON !
GLACE...

ABRU-TI !
!!
ÇA NE SE FAIT PAS DE DÉBARQUER COMME ÇA ET DE SOÛLER TOUT LE MONDE AVEC DES HISTOIRES DE RES-PONSABILITÉ À LA NOIX !
ET PUIS, J'AIME PAS QU'ON ME PIQUE MES ADVERSAIRES !
PLAF
NATSU ?
PFOU !
PFOU !
HAN !
HAN !

LES... ADVER...?
C'EST À MOI DE BATTRE CE TYPE.
QUOI?
JE T'AI DIT QUE JE M'EN OCCUPAIS!
EST-CE QUE JE T'AI DIT QUE J'ÉTAIS D'ACCORD?
TU...
TU VEUX TE BATTRE?
C'EST À MOI DE LUI RÉGLER SON COMPTE!
JE SUIS PRÊT À CREVER POUR ÇA!
TSAP

TU DOIS MOURIR POUR LE BATTRE ?
C'EST ÇA ?
ARRÊTE LA FUITE EN AVANT...

BROOOOOOOOOM

!!
!
BROOOM
QU'EST-CE QUI SE PASSE ?
BRRRRRRR
ゴゴゴゴゴ
BROOOOOOM
ゴゴゴ
C'EST QUOI, CE BRUIT ?
BROOM
...
BROOOM
BROOOOM
OH NON !

TADAM
LES RUINES...
SONT REVENUES COMME AVANT.
COMMENT ÇA SE FAIT ?!
TSAP TSAP
LES RAYONS DE LUNE VONT ATTEINDRE DELIORA...
PARDONNEZ MON INTRUSION.

HO HO ! IL VA BIENTÔT FAIRE NUIT.
J'AI DONC REMIS LE TEMPLE DANS SA POSITION NORMALE.
ZALTY, C'EST TOI QUI AS FAIT ÇA ?!
TSAP
TSAP
C'EST QUI, CELUI-LÀ ?
ÇA M'A DEMANDÉ VACHEMENT D'EFFORTS POUR L'INCLINER !
COMMENT T'AS FAIT POUR LE REMETTRE À PLAT ?
HO HO HO !
TSAPATSAPATSAP
JE VAIS LANCER LA CÉRÉMONIE DES GOUTTES DE LUNE.
CLAC
CLONG
COMMENT T'AS FAIT ?!

HO HO HO !
ATTENDS UN PEU !
RAAAAH !
IL ME GONFLE SÉVÈRE, CE NAZE !
NATSU !
JE VAIS LE FAIRE CRAMER UN BON MILLION DE FOIS !
JE TE LAISSE T'OCCUPER DE LEON !
HUM

SI TU PERDS, CE SERA UNE INSULTE !
PAS POUR TOI...
JE SAIS.
POUR FAIRY TAIL !
TADAM
ILS SONT TOUS BIEN BRUYANTS.

TOUT À L'HEURE, QUAND J'ALLAIS LANCER MON SORT...
TU PENSAIS QUE NATSU M'ARRÊTERAIT ?

NON... JE N'IMAGINAIS MÊME PAS QU'IL POURRAIT T'APPROCHER.

TU ÉTAIS DONC VRAIMENT PRÊT À ENCAISSER L'ATTAQUE ?
OUI !

MAIS J'ÉTAIS SÛR DE POU-VOIR M'EN SORTIR.
C'EST POUR ÇA QUE JE T'AI DIT D'Y ALLER.
JE VOIS.

MÊME EMPRISONNÉ DANS LA GLACE, J'AI DES AMIS.
ET SUR CETTE ÎLE, LES GOUTTES DE LUNE PEUVENT BRISER LA GLACE ABSOLUE.

JE N'Y AVAIS PAS PENSÉ.
ICI, CE SORT NE SERT À RIEN.

TU VEUX TOUJOURS TE BATTRE CONTRE MOI ?
TU SAIS POURTANT QUE JE SUIS LE PLUS FORT.
ARRÊTE !

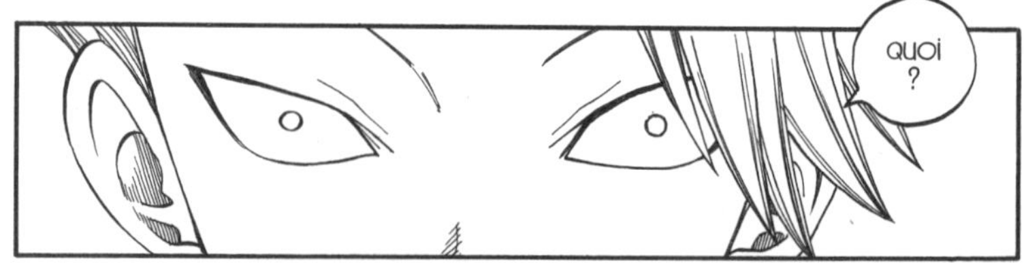
QUOI ?

RENONCE À DELIORA !
C'EST QUOI, CETTE IDIOTIE ?
TU VEUX ESSAYER DE ME CONVAINCRE APRÈS M'AVOIR MENACÉ ?
TU AS QUELQU'UN DE PLUS FORT QUE TOI DANS TA GUILDE ?
ÉCOUTE-MOI...

OUL EST EN VIE.

LA GLACE ABSOLUE TRANSFORME CELUI QUI L'UTILISE EN GLACE.
CE QUE JE VEUX TE DIRE C'EST QUE LA GLACE QUE TU VEUX BRISER...
C'EST OUL EN PERSONNE...

MÊME SOUS CETTE FORME...
OUL EST TOUJOURS VIVANTE.

DÉSOLÉ DE NE PAS TE L'AVOIR DIT PLUS TÔT.
JE L'AVAIS PROMIS À OUL.

S'IL APPREND QUE JE ME SUIS TRANSFORMÉE EN GLACE...
IL PASSERA SA VIE À ESSAYER DE ME RENDRE MON APPARENCE.

GREY...

LEON...
C'EST POUR ÇA QUE TU DOIS...

AH...
GASP

JE SAVAIS...
DÉJÀ TOUTES CES IDIOTIES.
MAIS CE N'EST PLUS OUI...
CE N'EST QUE DE LA GLACE !

À SUIVRE...

BONUS

C O L O R I A G E

INTERVIEW DE
Hiro Mashima

Entretien exceptionnel avec l'auteur de Fairy Tail...

Hiro Mashima, pouvez-vous nous parler de vos débuts ?
Quand j'étais enfant, mon grand-père me rapportait souvent des vieux magazines de manga qu'il avait ramassés en chemin. À force de les lire et d'imiter certains dessins, sans m'en rendre compte, c'est devenu une réelle passion.

On vous présente souvent comme un ancien mauvais garçon, cette réputation est-elle usurpée ?
C'est vrai que j'ai fait pas mal de bêtises à l'époque. Il est possible qu'on retrouve une part de moi dans le personnage de Natsu.

Après *Magician*, *Rave*, etc. comment vous est-il venu l'idée du titre *Fairy Tail* ?
Le titre *Fairy Tail* signifie, initialement, un bâton magique en forme de queue de fée, mais j'étais également parti sur l'idée de raconter un conte de fée, d'où le jeu de mots avec Fairy Tale.

Quelles sont vos sources d'inspirations ? Après la lecture de *Fairy Tail*, on pense parfois aux cartoons ou comics américains. Confirmez-vous cette impression ?
Vraiment ? Je n'ai pas d'influences particulières, mais c'est vrai que j'adore les cartoons américains.

Tous les personnages sont très attachants... mais quel est celui que vous préférez dans *Fairy Tail* ? Sont-ils inspirés de personnes de votre entourage ?
J'aime, sans exception, tous mes personnages, mais ma préférence va à Natsu. Oui, la plupart sont inspirés de mes amis.

Hiro Mashima, nous devons vous avouer que toute l'équipe Pika est fan du chat Happy. Il nous fait penser à Chachou, le chat de Pika. Vous êtes-vous inspiré d'un chat existant pour créer Happy ?
Non, pas vraiment, mais comme j'adore les chats, je dessine Happy avec beaucoup de plaisir.

Une guitare apparaît dans le dessin de votre bureau. Êtes-vous fan de musique ? Si oui, qu'écoutez-vous ?
Je joue de la guitare juste pour le plaisir, mais je suis loin d'être un virtuose. En ce qui concerne la musique, j'écoute du rock.

Dans les bonus des volumes de *Fairy Tail*, vous semblez très occupé. Pouvez-vous nous décrire une journée type d'Hiro Mashima ? Avez-vous le temps de prendre des vacances ?

Alors, voilà, une journée type : 10h00-11h00 : déjeuner ; 11h00-18h00 : boulot ; 18h00-19h00 : dîner ; 19h00-23h00 : boulot ; 23h00-24h00 : collation ; 24h00-2h00 : boulot ; 2h00-3h00 : loisirs ; 3h00-10h00 : dodo (4h00-7h00 quand j'ai beaucoup de travail). Lorsque je joue, je dors moins... Concernant les vacances... j'en ai très peu.

Toujours dans les bonus, vous invitez les lecteurs à vous envoyer des illustrations de *Fairy Tail*... les fans francophones pourront-ils aussi participer à ce *fan-art* ?

Bien sûr !! Ce sera un plaisir de recevoir des illustrations de l'étranger !!

Le manga cartonne déjà au Japon et aux États-Unis. Avez-vous déjà une idée du nombre de volumes que comprendra la série *Fairy Tail* ?

Non, pas pour le moment, mais je souhaiterais publier environ 20 à 30 volumes.

Sinon, une question plus personnelle, au moment où vous lisez ces lignes, quelle est la couleur de vos cheveux ? Suivez-vous de près la mode ?

Cela oscille entre le blond et le rouge acajou. J'aime beaucoup la mode. D'ailleurs, je porte la même grande marque depuis dix ans.

Dernière question, avez-vous résolu votre phobie des chenilles ?

Comme ces temps-ci je n'en vois plus trop, ma phobie est passée.

REQUÊTE SPÉCIALE : RÉVÉLEZ LES SECRETS DE FAIRY TAIL !

Au comptoir de l'auberge de Fairy Tail

Lucy : Mirajane ! Regarde un peu ça !
Mirajane : Ouah ! Ça en fait des lettres ! Ce sont des lettres d'amour ?
Lucy : Mais non ! C'est le courrier des lecteurs ! Il y en a plein qui disent qu'il y a trop de choses qu'ils ne comprennent pas !
Mirajane : Même l'auteur n'a pas les réponses. On n'a qu'à jeter ces lettres, alors !
Lucy : Mais non !
Mirajane : Montre-les-moi ! Ouah ! Ce dessin est superbe !
Lucy : C'est une carte de "guilde des arts", tsap tsap tsap tsap bip.
Mirajane : Par exemple il y a cette question : les Vanish Brothers ont parlé de "magicien apte" et de "magicien porteur", qu'est-ce que ça veut dire, au juste ?
Lucy : J'aimerais bien le savoir, moi aussi !
Mirajane : Hum... Ce n'est pas si important que ça, à mon avis.
Lucy : On m'a dit que Natsu était un magicien apte et que moi, j'étais une magicienne porteuse.
Mirajane : Oui, c'est tout à fait ça ! Ceux qui ont appris la magie et se servent de leur propre corps pour l'utiliser, sont appelés "magiciens aptes". Ceux qui utilisent des instruments sont dits "magiciens porteurs".
Lucy : C'est donc ça ?! C'est vrai que sans mes clés, je ne peux pas lancer de sort.
Mirajane : C'est pareil pour Erza. Son arme et son armure font d'elle une "porteuse".
Lucy : Alors que Grey et Natsu ayant appris la magie, ce sont des "aptes".
Mirajane : Pratiquement tout ce qu'on trouve dans les magasins est pour la magie "porteuse". Même si on apprend un grimoire par cœur, sans lui, on ne peut rien faire.
Lucy : On dirait que n'importe qui peut être un "porteur"...
Mirajane : Mais sans entraînement, on ne peut pas être aussi rapide qu'Erza, par exemple.
Lucy : Je peux refermer des portes toute seule, moi !
Mirajane : Ah bon ? C'est vrai ?
Lucy : Tout à fait ! Je l'ai fait sur l'île de Galuna en combattant une nana bizarre.
Mirajane : Ah... Dans ce cas, j'ai un service à te demander...
Lucy : Ah bon ? Lequel ?
Mirajane : L'heure de fermeture est passée et tout le monde est encore là...
Lucy : Ce n'est pas de ces portes-là dont je parlais !

ENVOYEZ VOS QUESTIONS À :
PIKA ÉDITION
19 BIS, RUE LOUIS-PASTEUR
92100 BOULOGNE BILLANCOURT
POUR PLUS D'INFORMATIONS :
WWW.PIKA.FR

Un an ! Ça fait déjà un an que *Fairy Tail* a commencé* ! Ça passe super vite ! C'est ma deuxième publication en hebdomadaire mais là, je me dis "ça fait déjà un an que ça dure ?" C'est génial !
Je le pense vraiment ! Pendant cette année, le plus dur a été d'expliquer le travail à mes assistants. Quand j'ai commencé *Fairy Tail*, quasiment tous mes anciens assistants étaient partis. Certains commençaient leur propre série, d'autres étaient en voyage, il y a eu des séparations heureuses et d'autres malheureuses. Le seul qui restait était le plus jeune de l'équipe, le petit nouveau. Il est devenu assistant chef sur *Fairy Tail* et j'ai pris trois nouveaux assistants. Ça a été terrible ! Il n'y avait quasiment que des nouveaux ! Ça a été très dur ! Ce n'est que récemment qu'ils ont compris comment s'organiser, c'est un vrai soulagement ! Mais ils sont tous très sympas ! Je préfère travailler avec des nouveaux sympas qu'avec des anciens super doués mais pas drôles ! Ce n'est peut-être pas très professionnel, mais comme on est ensemble presque tout le temps, je préfère bosser dans une bonne ambiance. On a travaillé en bonne entente pendant un an, merci à tous pour ce que vous avez fait ! Merci à vous, mes lecteurs, de votre soutien !

Fairy Tail continue... et pour longtemps...

* AU JAPON, FAIRY TAIL *EST SORTI EN 2006 ET LE VOLUME 5 EN 2007.*

Titre original :
FAIRY TAIL, vol. 5

First published in Japan in 2007
by Kodansha Ltd., Tokyo.
Publication rights for this French edition
arranged through Kodansha Ltd., Tokyo.

Traduction et adaptation : Vincent Zouzoulkovsky
Création d'illustrations : Docteur No
Édition française
2009 Pika Édition
ISBN : 978-2-8116-0017-4
Dépôt légal : mars 2009
Achevé d'imprimer en Italie
par L.E.G.O. S.p.A. Lavis TN en octobre 2014